Kuroro
地球觀察報告
2

真的假的？

不可思議的
貓行為

喵星人古怪舉止大解密

文・圖 **Kuroro** 地球總部

審定 **林士傑** 獸醫師

你知道嗎？在距離地球3000光年的 NGC-6543（貓眼星雲）上，有著一個神祕科學機構——貓科學部，那裡聚集了一群身懷絕技、稀奇古怪的黑貓，他們都有個名字叫做「Kuroro」。很久很久以前，Kuroro 就一直默默研究著喵星人與地球人的互動。

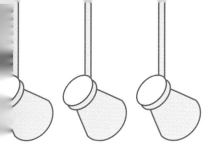

現在地球特派員 Kuroro 22222號就正在他專屬的化妝室讀著來自各地的信件……嘿嘿！看來大家都被貓咪那些「古怪、摸不著頭緒」的行為舉止，以及那身毛茸茸的外星魅力，迷得團團轉呢！究竟，貓咪們，深藏著什麼有趣的故事與祕密呢？就讓 Kuroro 來告訴你吧！喵～

這是貓、這也是貓，什麼！這也是貓。
貓究竟是什麼生物呢？歡迎收看本集的
「 不可思議的貓科學 」，我是節目主持
人 Kuroro 22222號。現在就打開你的
耳朵，拋開你的成見與思考，一起跟貓
咪科學家們揭開喵星人神祕的面紗。

目　錄

如何使用這本書

快著跟著宇宙喵 Kuroro 一起打開這本既有趣又充滿奇想的書吧！一起來看看喵星人有什麼不為人知的祕密吧！

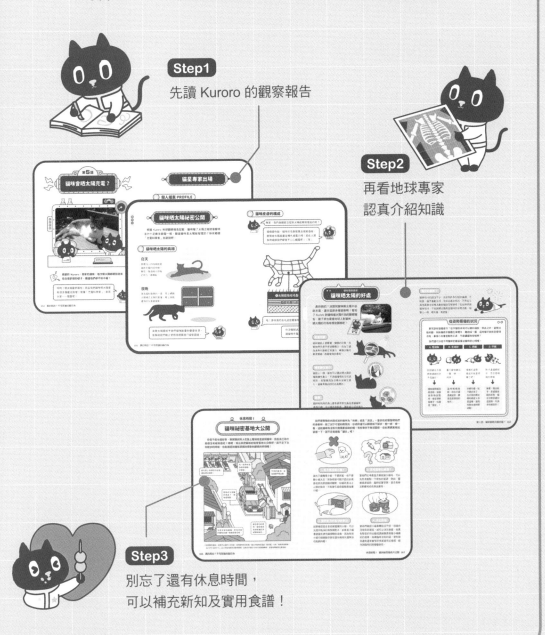

Step1
先讀 Kuroro 的觀察報告

Step2
再看地球專家
認真介紹知識

Step3
別忘了還有休息時間，
可以補充新知及實用食譜！

隱藏在喵星人 古怪舉止的行為科學

鑽紙箱、玩踏踏、東聞聞、西嗅嗅⋯⋯關於貓咪的這些奇妙行為，你是否既覺得很可愛，又感到超級奇妙呢？想要知道貓咪這些古怪行為背後代表的意義嗎？現在就讓地球特派員 Kuroro 來為你一一解密吧！不過要注意喔！裡面有些觀察可是會讓你忍不住大喊：「真的假的？」

第1話
貓咪為什麼喜歡到處踏踏呢？

地球特派員 Kuroro

 親愛的 Kuroro，我家的貓咪好愛這裡踏踏、那裡踏踏喔！真好奇貓咪到底在忙什麼呢！

關於貓咪踏踏，人類有許多的研究與想像，為了揭開這個普遍的疑惑，我們特別找了貓踏踏科學家來分享研究成果。

貓星專家出場

 個人檔案 PROFILE

貓踏踏科學家

自小就對踏踏深深著迷，
長大之後更全心投入於鑽研貓咪踏踏，
甚至因此開設貓星按摩工坊，
一躍成為貓星十大企業家之一。

你們好！很高興
為大家服務！

喵星代號 Kuroro No.12123

 個人特殊能力

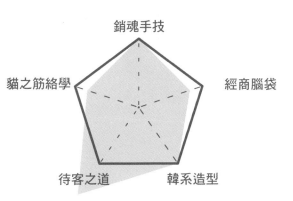

銷魂手技

貓之筋絡學　　　　　經商腦袋

待客之道　　　韓系造型

不管你有什麼疑
難雜症，只要來給貓咪
踏踏按摩一下，必定
「踏」到病除唷！

貓踏踏謎團大公開

根據 Kuroro 地球觀察報告記載，貓咪踏踏是貓咪與生俱來的絕活，在巧妙的運用貓肉球的功能之下，將會發生許多奇妙的事情喔！快跟著地球特派員 Kuroro 和貓咪踏踏科學家一起來探索吧！

貓咪踏踏的好處

踏踏是我們貓咪天生的拿手絕活，對貓咪的身心健康也有很多好處喔！想知道嗎？快點跟上踏踏的節奏吧！

好處 1
舒緩情緒

每當我們情緒過度亢奮時，我們會找一個舒適的地方，暗暗數著拍子，慢慢的我們就可以讓情緒漸漸的放鬆和緩下來。

放鬆～

放鬆～

好處 2
增溫感情

貓咪之間偶爾會透過互相踏踏來增溫感情，這是我們表達「我很關心你呦」最貼心的方式呢！

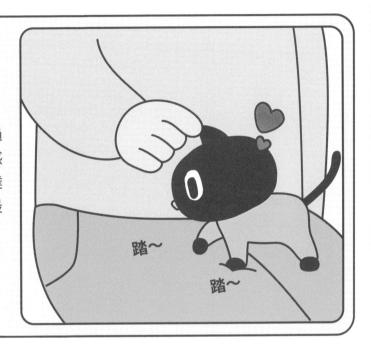

踏～

踏～

好處 3
閃避危機

在貓星駕駛飛船時，平日經常練習的踏踏就可派上用場，超高速節奏的踏踏，是我們聰明閃躲 或發射飛彈解決飛行危機的祕技呢。

踏踏踏踏！

踏踏！
踏踏！

好處 **4**
烘焙魔手

我們超軟嫩的肉球魔手，最適合拿來做麵包了。有我們踏踏過的麵包，可是全宇宙第一好吃的喔！

好處 **5**
獲得乳源

貓咪踏踏的原始目的是透過踏踏來喝到母奶。長大後我們也喜愛喝牛奶，經常都會直飲牛乳回味起幼年時踏踏喝母奶的美好回憶喔！

好處 6
開心按摩

溫和有耐性的貓，通常比較容易取得貓星球的按摩執照，擁有這執照就可以像我一樣開貓星按摩工作坊，替大家鬆鬆筋骨喔。

請問還有哪裡需要加強嗎？

專家，這樣看來我們貓咪的肉球還真是多功能呢！

沒錯，不但可以打電話功能，還有超多好處喔！但是我們運用肉球踏踏還是有一些基本的守則要遵守喔！

踏踏的守則？

貓咪踏踏4大守則

人類的屁股

絕對不可貪圖
人類屁股的彈性！

水球

我們怕水，
千萬別自找麻煩！

懷著baby的人類

新生的地球人，
千萬別打擾！

樂團主唱的捲頭髮

根據地球的貓咪回報，
捲髮會讓人動彈不得！

哇……第一條守則我常常犯耶……

我們貓咪對於柔軟的東西總是無法
抗拒……這真的很困難呀！

貓星按摩工作坊巡禮！

鏘鏘！這就是我在貓星開的按摩工坊，每週都有成千上萬的貓咪來光顧！

 哇！這景象也太壯觀了！

因為我們工坊找的都是踏踏專家呢！

專家！聽說你的貓星按摩工作坊很難預約啊？

當然，不過為了犒賞粉絲們長年以來的照顧，我特別準備了新客 VIP 券，歡迎你和朋友們一起來喔！

 哇！新客 VIP 券耶！專家真大方，怎麼這麼好！

嘿嘿！那是當然的喔！你們自己預約應該是有得等，但是有了這個券，就能第一時間體驗啦！

 我馬上就來打電話預約～

貓星按摩工作坊
獨家新客VIP券

凡為《真的假的？不可思議的貓行為》讀者，出示此券即享貓星按摩皇家VIP服務一次

市價28個罐頭

MASSAGE

MASSAGE

貓知識認真說
貓咪的踏踏行為大解析

　　真的假的？沒想到貓咪踏踏還有這麼多好處！看完地球特派員 Kuroro 對貓咪踏踏的觀察，接下來也看看地球人的研究報告吧！

　　當貓咪用前腳在你身上踏踏，這應該是世界上最舒服的按摩吧！既有柔軟的貓肉球舒壓，更能感受到貓咪的好心情。貓咪踏踏除了表示當下心情不錯外，還有哪些我們不知道的意義呢？就一起來看看吧！

來自幼時的回憶

踏踏行為有可能是貓幼時發自天性本能的去觸碰媽媽的乳房，藉此以刺激母乳的分泌。因此，有人發現，若幼時不是母貓養大的貓，長大後比較不會有踏踏的行為。

單純的伸懶腰

工作坐久了難免筋骨痠痛，想要伸展一下。貓雖然經常睡個不停，但睡久了也是會累，起來動一動、踏一踏是理所當然的，不是嗎？

踩你，就是我認定你

貓咪會想要踏踏，表示當下心情不賴！但心情好又願意在你身上踏踏，那就是牠認可你囉！這代表你們之間的羈絆又加深了一些呢！

找個舒服的地方睡一下

狗如果找到一個可以睡覺的地方會轉圈，確定沒問題後躺下。貓也會有這樣的行為，牠會用踏踏確認這是個柔軟舒服的地方，好好睡一覺。

終於
鋪平了！

除了開心之外……

貓咪除了在感到愉快和放鬆時會踏踏外，有時候壓力大時也會踏踏。為了能讓我們跟貓咪能夠更好的相處，接下來就來多了解一下貓咪壓力大時除了踏踏還有哪些表現。當你觀察到這些表現時，就記得要留給貓咪一些獨處和消化壓力的空間唷！

- ☐ 猙獰的哈氣、低吼
- ☐ 持續不停的叫
- ☐ 亂抓亂咬
- ☐ 跟人一樣不吃不喝
- ☐ 不乖乖大小便
- ☐ 拉肚子
- ☐ 其他

想想看，你家的貓咪壓力大時，還有什麼特殊的表現呢？

第2話

貓咪究竟為何怕水？

地球特派員 Kuroro

 親愛的 Kuroro，每次當我想要幫貓咪洗澡的時候，不是死命掙扎就是擺臭臉，為什麼貓咪這麼討厭洗澡？洗香香不好嗎？

呵呵！水對貓咪來說，就是又愛又怕啊！喝的時候會開心的喵喵叫，一旦弄溼了我們的毛，我們又會很焦慮！究竟是為什麼呢？就有請貓水質科學家來解答囉！

貓星專家出場

 個人檔案 PROFILE

貓水質科學家

水真的是一種既神祕又厲害的物質呢！
為了澈底研究它，
貓水質科學家不惜長時間保持
溼漉漉的狀態，還以「水幽靈」自稱。

各位好！

喵星代號 Kuroro No.09900

 個人特殊能力

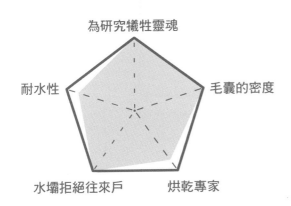

為研究犧牲靈魂

毛囊的密度

耐水性

烘乾專家

水壩拒絕往來戶

有事沒事多喝水！
有事沒有別玩水！
水水水～我愛水！

我即興創作的這首水之歌，
好聽嗎？喵～

貓怕水原因大公開！

根據 Kuroro 地球觀察報告記載，造成貓咪怕水的原因有很多，但是影響最重要的還是跟貓咪身上濃密的毛髮有關，現在就讓貓水質專家來跟我們分享他的研究吧！

關於貓毛的組成

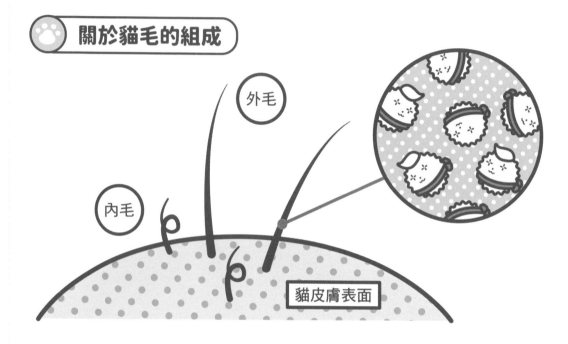

貓毛有兩層，分別為外毛和內毛。外毛質感柔軟但不防水；內毛則是柔軟的捲毛，主要用來保護皮膚。但，大家都不知道的是——貓毛裡其實住著密密麻麻的毛髮細胞呢！

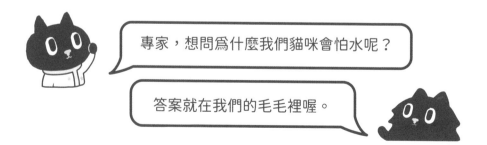

專家，想問為什麼我們貓咪會怕水呢？

答案就在我們的毛毛裡喔。

貓毛髮細胞

尺寸：000.19ＦＭ／飛米

（延伸閱讀不可思議的貓科學第6話）

毛髮細胞是組成貓毛的主要物質，主要工作是保護貓咪的皮膚，以及協助吸收太陽能作為電力。

Kuroro 看這裡！我現在將一撮貓毛沾滿水！你有看出什麼玄機嗎？

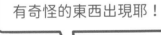

有奇怪的東西出現耶！

貓毛和水之間的祕密

他們是？

他們就是萬惡的水分子！讓我們毛髮扁塌的凶手！

地球水分子

尺寸：000.22 FM／飛米

有大大的嘴唇，加上一流的口才，可以輕鬆說服其他細胞。

專家，水分子會對毛髮細胞做什麼啊？

你看！水分子他們開始有動作了！

狀況 1：無精打采

本來負責吸取陽光當作能量的毛髮細胞不工作了，
貓咪就會覺得好累好累，沒有電力⋯⋯

狀況 2：沒有自信

沒有毛髮細胞的支撐，貓毛容易凌亂，
凌亂的毛髮，在貓界會受到極大的嘲笑。

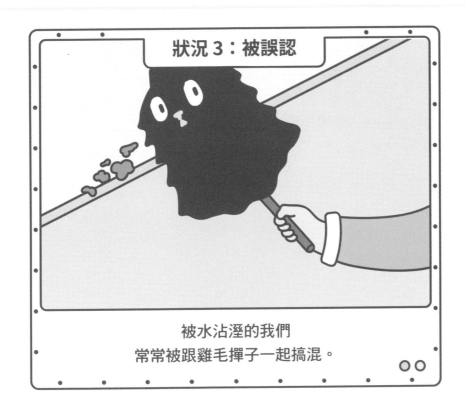

狀況 3：被誤認

被水沾溼的我們
常常被跟雞毛撢子一起搞混。

No！真糟糕……

沒錯！這也就是為什麼貓咪如此抗拒洗澡的原因！雖然現在已有許多新發明能快速吹走我們身上的水分子！但能不碰則不碰啊！

專家，可是你全身都是水耶……

沒錯！我正在試圖訓練我的毛髮細胞不受水分子影響，照樣能好好工作。我相信我們貓咪總有一天能不怕水！

專家，你實在⋯⋯太偉大了！

Kuroro 你要試試看嗎？

不用、不用，我也怕水啊！

幕後訪談

 專家，你研究貓咪怕水這麼久，
應該已經做過很多實驗了吧！

那當然，做實驗就是我的使命啊！

 天啊！這實在是太感人了！

最近我舉辦了「泡水貓耐力賽」，泡越久就能獲得
越多貓罐頭喔！希望鼓勵貓咪們不再怕水，打破
身體淫淫就沒自信的觀念，歡迎大家報名參加！

我我我！我要報名「泡水貓耐力賽」！

泡水貓耐力賽

挑戰極限！你能泡多久！？

冠軍得主獲得：	x100
亞軍得主獲得：	x50
季軍得主獲得：	x20

熱烈報名中

貓咪真的討厭水嗎？

　　真的假的？影響貓咪怕水的主因居然是毛髮？看完了地球特派員 Kuroro 的觀察報告後，我想地球人應該也有不少研究要跟我們分享吧！快來看看吧！

　　每次要幫貓咪洗澡就像作戰一樣，除了要抓住貓咪，更要小心別被抓傷。你也觀察到了嗎？除了喝水，貓很少會主動靠近水，到底是為什麼呢？現在就來整理一下貓咪討厭水的原因吧！

天性使然

推敲歷史，貓進入人類生活前，生活環境少有湖泊和河流，牠們也不像狗一樣，發展出可以在水裡悠游的「狗爬式」，因此推估貓或許不諳水性。

我就是學不會「狗」爬式！

體溫的保護機制

一開始貓是生活在沙漠地區，日夜溫差大，若是毛髮碰水，到了晚上體感溫度會變得更冷……這樣對生存會造成危險，所以貓因此才會不碰水。

毛髮性質

貓咪的毛相較於狗，油份少又比較細密，也比較無法防水，沾溼了就不容易乾，這或許也是天性上貓不喜歡水的原因之一。

我的味道
不要走！

不要洗走我的味道

貓的領域性強，身上又有很多腺體能到處留下氣味，洗一次澡可能會把身上累積的氣味洗掉，讓牠覺得不自在，後來得再全部重新舔一遍，太麻煩！

毛髮溼不方便

有狩獵性格的貓，若是披著溼漉漉的毛髮，不但動作不方便，也容易暴露自己位置，造成自己危險

溼答答的要
我怎麼追！

貓咪洗澡大進擊

貓咪天生愛乾淨，三不五時的就會自行舔毛和清潔，因此不需要特別洗澡。一旦需要洗澡的時候，也一定要照顧到貓咪的身心，不要讓洗澡變成破壞你們感情的恐怖經驗喔！

這三個步驟，可以
讓貓咪練習跟我一
樣愛上洗澡喔！

讓貓咪愛上洗澡的三步驟

❶沾水訓練 　　❷熟悉浴室、 　　❸熟悉吹風機
　　　　　　　　　水聲 　　　　　　　聲音

第3話

貓咪深夜都在忙些什麼呢？

地球特派員 Kuroro

 親愛的 Kuroro，我晚上起床尿尿的時候常常會被在角落默默看著我的貓咪嚇到，難道貓咪晚上都不睡覺的嗎？

我們貓咪最愛晚上了！想知道我們晚上都在做些什麼嗎？那就有請「鬼鬼祟祟科學家」來為大家解惑吧！

貓星專家出場

 個人檔案 PROFILE

鬼鬼祟祟科學家

不喜歡有人偷看他，
但卻很愛偷偷看著別人，
因為喜歡單獨夜間行動，
導致沒有什麼朋友。

啊！被拍到了啊～

喵星代號 Kuroro No.00022

 個人特殊能力

經過我多年的研
究，貓咪半夜的行為大
致分為 4 種類型……

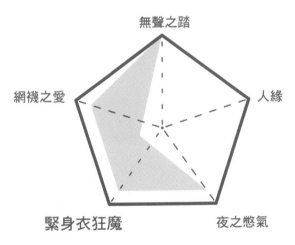

無聲之踏

網襪之愛

人緣

緊身衣狂魔

夜之憋氣

貓深夜行動大調查

祕密集會

窸窸窣窣@#$

計畫實施完畢，嘿嘿！

夜運動會 （有時候會變拳擊賽）

看我的厲害！

運動完睡成一片……

貓咪的夜晚真的很忙碌吧！所以別再誤會貓咪只是很懶散和愛睡覺的生物，其實我們可是很操勞的呢！

基地巡邏

主人睡覺了，巡邏的時刻到了！

（戰利品）

昨夜的訪客，不用謝！

貓星通訊

報告總部！
今日我發現……

探險後常直接睡在不明的物體裡，有時候還可能找不到他們。

那想問專家，爲什麼我們貓咪總愛在晚上做事情，白天卻很懶散呢？

這個嘛，原因是我們喜歡在深夜不被打擾的時候，進行屬於我們貓咪隆重的計畫，夜間行動有以下優點……

 夜間行動優點

沒有其他物種
的干擾

沒有吵鬧的
車聲

沒有（動手動腳）
的人類

可以達到
最佳隱身效果

總而言之，晚上還是最適合我們貓咪了！

沒錯沒錯！

但我們偶爾還是會遇到天敵，例如：夢遊的人類⋯⋯

貓咪深夜行動提醒

在此呼籲人類若看到貓咪展開夜間行動時，
請遵守以下 3 點

請勿觸摸

請保持安靜

盡速離開現場

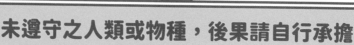

未遵守之人類或物種，後果請自行承擔

對吼！

專家，你要去哪裡？
還沒有幕後訪談呀！
別走……

 專家，聽說你總是獨來獨往一個人行動。

沒錯！起初大家都以為我是怪人，但是我很享受，我還有很多有趣的收藏，你想看嗎？

 要要要！想看！

這個是我從來沒向別人公開的神祕衣櫥，裡面有我收集的各種造型網襪，還有許多漂亮的緊身衣喔！

 哇！好酷！專家你好適合當服裝造型師耶！

我還第一次聽到有人這麼說耶，真害羞！謝謝你Kuroro，送你一雙我珍藏的網襪吧！

 好厲害啊！

這可是我很得意的收藏呢！

貓咪晚上不睡覺的原因

　　當你晚上睡得正香甜，貓咪卻活力滿點的開起運動會，怎麼會這樣呢？看完了 Kuroro 對貓咪深夜行動的觀察報告，接下來也來看看地球人觀察到了什麼吧！

精力太旺盛

貓是純肉食的掠食型動物，跟獵豹、獅子一樣都是先累積大量精力，然後在追捕獵物時，一次大量釋放掉所有精力。

白天睡太多

當貓咪白天沒有消耗活力一直睡，到了晚上，就是消耗力氣的時間了。

肚子餓得睡不著

貓咪肚子餓了，會「貼心」的自己動手找，晚上不睡覺，就要認真找食物！

被發現啦！

空虛寂寞，想要有人陪著玩

夜深人靜，讓寂寞的感覺加深，沒有結紮的貓，發情時會在夜晚召喚伴侶。

想成為冒險王

有些貓咪活力滿點時，就想成為偉大的冒險貓。另外。換了新環境的貓，也可能為了熟悉環境而在家裡瘋狂探險。

身體不舒服，沒辦法睡

貓生病或是老化後，因為緊張害怕會不斷的叫著，有時候還會因為聽力退化，聽不到自己聲音，叫得更大聲。

夜間活動的夥伴

因此晚上不睡覺的人們，也常被稱為「夜貓子」。另外除了貓以外，蝙蝠、倉鼠等動物，也喜歡白天休息，黃昏、夜間至清晨才會出來活動，牠們被稱為「晨昏型動物」，所以有養倉鼠的飼主，半夜聽到倉鼠跑滾輪健身也不用太意外了。

第4話

貓咪上廁所是不是超有學問？

地球特派員 Kuroro

 親愛的 Kuroro，貓咪上廁所的時候好像忍者喔！總是神不知鬼不覺的開始又結束，為什麼這麼神祕啊！

關於上廁所，貓咪都有一套上廁所的堅持！讓我們有請「貓廁所觀察家」為我們好好說明一番！

貓星專家出場

 個人檔案 PROFILE

貓廁所觀察家

總是喬裝成便便的樣子，
觀察許多貓咪如廁的狀況！
許多因便祕而苦的貓咪，
都因爲他的醫治，而獲得救贖！

跟我念一遍！
一天噗三次，
醫生沒飯吃

喵星代號 Kuroro No.00888

 個人特殊能力

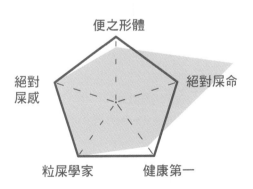

便之形體

絕對屎感

絕對屎命

粒屎學家

健康第一

說到我們貓咪
上廁所的習慣，可有著
長年不可動搖的傳統！

貓便便的祕密

根據 Kuroro 的地球觀察報告，貓咪上廁所似乎都有一些神祕的儀式喔！想要知道究竟是什麼嗎？那就快點讓貓廁所觀察家來為我們說明。

貓咪上廁所的神祕傳統

STEP1
觀察四周環境

STEP2
奮力一擊

STEP3
快速將便便處理好

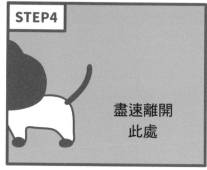

STEP4
盡速離開此處

專家，我們貓咪是世界上少數會將便便埋起來的生物，這是有什麼特別的原因嗎？

因為貓咪之間有著神祕的溝通方式，我們會透過上廁所留言！這個行為跟狗狗會去聞別人的尿尿意義很像喔！

 據說可以根據我們貓咪的便便解讀我們的心情，是真的嗎？

 來～助手們！把我的便便分析圖拿出來！

關於貓咪便便裡隱藏的訊息

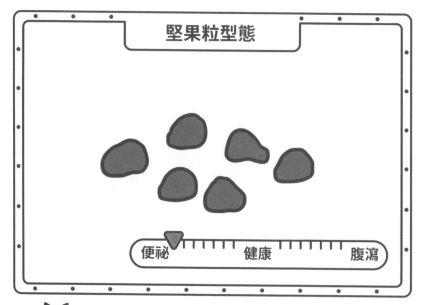

堅果粒型態

便祕 ———— 健康 ———— 腹瀉

表示近期飽受驚嚇，同伴們也請多加小心。

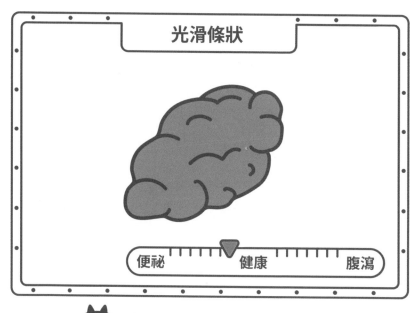

光滑條狀

便祕 ———— 健康 ———— 腹瀉

表示心情平和，歡迎跟我玩。

其實還有很多種狀態，這裡把最常見的分享給大家！

裂痕條狀

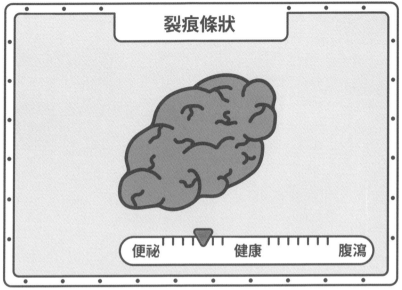

便祕　　　健康　　　腹瀉

 表示心情煩躁，少來煩我。

鬆軟糊狀

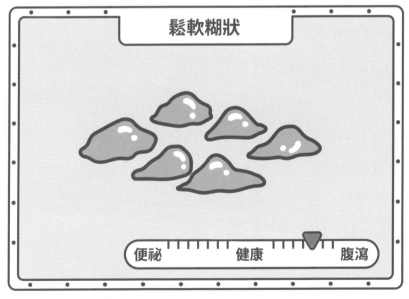

便祕　　　健康　　　腹瀉

表示心情鬱悶，急需安慰。

原來如此！專家，聽說5隻母貓裡，就有4隻會因爲公貓是否能把便便埋好而判斷辨別他是否值得依靠呢！

沒錯！母貓們私底下還會討論自己的另一半的撥貓砂功夫！

看來不撥貓砂可能會找不到老婆……

幕後訪談

 專家！雖然不撥貓砂會被嫌棄，但你不覺得撥貓砂好累喔！可以不撥嗎？

根據貓星法規第51條，隨意將便便裸露在外，最高可責罰55個罐罐！

 喔不！罰罐罐！那可損失太大了！專家我最後可以問一個問題嗎？你爲什麼長得那麼像便便？

嘿嘿！很明顯嗎？那都是爲了要無聲無息的觀察貓咪們上廁所的樣子啊！

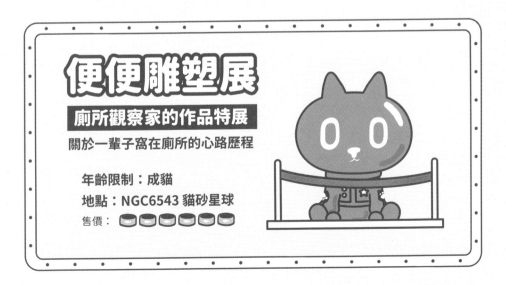

便便雕塑展

廁所觀察家的作品特展

關於一輩子窩在廁所的心路歷程

年齡限制：成貓

地點：NGC6543 貓砂星球

售價：

貓咪的如廁行為

貓知識認真說

真的假的？貓咪的便便居然隱藏了這麼多的訊息？接下來就來看看人類的觀察報告又發現了什麼吧！

貓咪愛乾淨是大家都知道的事，對貓奴來說，這也是很多人選擇養貓的原因之一。現在就讓我們看看，貓咪上廁所有哪些特殊的行為或該避免的事吧！

好的如廁空間很重要！

上廁所的儀式

仔細觀察，貓咪要上廁所時，似乎有著固定的模式：先聞聞自己的砂盆→動手挖啊挖→開始解放→自己聞聞味道→撥撥沙蓋起來→然後死命的逃跑。

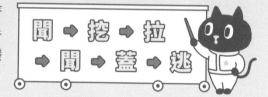
聞 ➡ 挖 ➡ 拉 ➡ 聞 ➡ 蓋 ➡ 逃

蓋便便的真正原因

貓有著狩獵的習性，為了隱匿自己的行蹤，就不能讓其他動物聞到自己氣味，所以牠們上完廁所會湮滅證據，後來跟人類相處後才被解讀為「愛乾淨」。

上廁所時的喵喵叫

貓上完廁所有時候會一直叫，叫的原因有可能是貓砂太髒了，希望貓奴來清理貓砂，還有一種可能是肚子不舒服，要多留意一下。

快速逃離現場

貓有時候上完廁所會暴衝跑開，可能是覺得很臭、可能是怕被發現，也可能是覺得很舒爽；但是有時候當他們覺得這個砂盆不是自己喜歡的，上完也會快點逃跑。

本喵才不要待在這麼臭的地方。

避免打擾貓咪上廁所

貓咪和小狗比起來，是更獨立更不喜歡被打擾的，特別是吃飯、踏踏、舔毛和上廁所時。當貓咪上廁所時，千萬不要這樣打擾牠，除了可能會獲得一個怨恨的不得了的凝視，而且也可能害得貓咪因為太緊張無法好好方便喔！

NG行為 1

如果擔心屁股附近的毛沾上糞便，可適當的修剪，太頻繁的擦拭會讓貓咪感到不適。

NG行為 2

貓咪喜歡在不被打擾的環境排泄，靠太近會讓他們緊張，盡量把貓砂放在無人經過的角落。

哇！你大出來了！

你好棒～

NG行為 3

貓咪的嗅覺靈敏，味道太重可能引起不適或不想靠近。盡量選無臭的產品比較適合。

第5話

貓咪會晒太陽充電？

地球特派員 Kuroro

親愛的 Kuroro，我家的貓咪，每次晒太陽都晒到扭來扭去很舒服的樣子，難道他們都不怕中暑？

呵呵！晒太陽最舒服啦！而且我們貓咪晒太陽還有很多隱藏功效喔！就讓「充電科學家」，來為大家一一揭露吧！

貓星專家出場

 個人檔案 PROFILE

充電科學家

立志成爲充電貓王的繼承人，
頭上有顆像太陽花的神祕配件，
但也因爲常常充電過度，
導致偶爾會行爲暴走。

各位地球人好！

喵星代號 Kuroro No.08880

 個人特殊能力

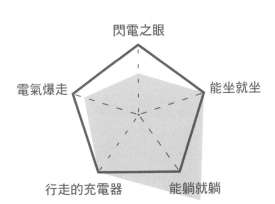

閃電之眼

電氣爆走　　　　　能坐就坐

行走的充電器　　能躺就躺

想知道爲什麼貓
咪這麼喜歡晒太陽
嗎？先等我充飽電再跟
你說！（嘻）

貓咪晒太陽祕密公開

根據 Kuroro 地球觀察報告記載，貓咪晒了太陽之後就會變得活力十足像充飽電一樣，難道貓咪是太陽能發電的？快來聽聽「充電科學家」怎麼說吧！

🐾 貓咪晒太陽的真相

白天

家裡沒人的時候就是貓咪充電的好時機！躺在一個溫暖又舒服的地方，最棒啦！

夜晚

身為貓科動物的一員，早上晒夠太陽補充足夠的能量，晚上就能盡情的玩耍跟探索！

其實太陽是給予我們貓咪能量的重要來源，能幫助我們晚上使用夜視鏡進行祕密調查。

貓咪皮膚的構成

 專家，我們身體是怎麼將太陽能轉爲電能的呢？

偷偷跟你說，貓咪的毛髮就像太陽能面板，能吸收太陽能量並轉化成電力唷！因此人類有時候摸我們都會不小心觸電呢！（笑）

❶太陽能吸收毛髮

❷電能轉化皮膚層

❸肉

 哇！原來我的毛毛這麼厲害啊！

你沒聽說過了吧！接下來認識貓咪充電姿勢有哪些吧！

貓咪晒太陽充電的五大姿勢

躺平充電

正面充電基本姿勢

彎曲身體充電

像在媽媽肚子裡
一樣安心的姿勢

貼地充電

充完正面背面
當然不能忘記

坐著充電

躺太久的時候
可以替換一下

收手充電

充滿儀式感的姿勢
還能順便裝裝可憐

 專家，這麼的多充電姿勢，哪個姿勢
最能快速充電呢？

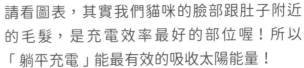

請看圖表，其實我們貓咪的臉部跟肚子附近的毛髮，是充電效率最好的部位喔！所以「躺平充電」能最有效的吸收太陽能量！

- 充電效能極佳
- 充電效能尚可
- 充電效能不良

BEST POSE！
喵星人認證！絕佳「日光浴充電」睡姿

就像這樣的感覺！

沒錯！沒錯！我也很推薦人類可以和我們貓咪一樣多晒太陽，很健康的喔！

透過觀察眼睛來分辨貓咪電力

　　根據地球特派員 Kuroro 的觀察，貓咪的眼睛就像是電力顯示器，想要知道他需不需要充電！？看看他的瞳孔呈現哪種形狀就知道啦！

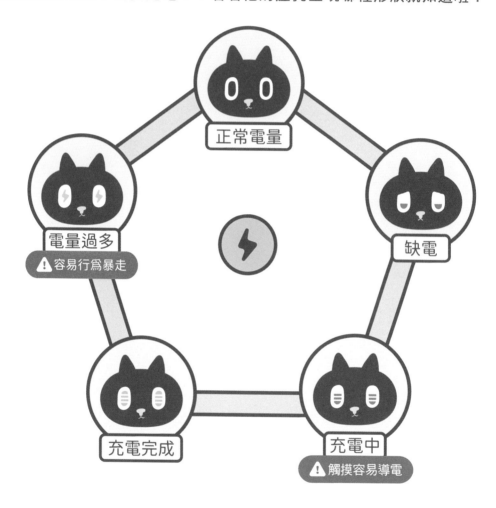

正常電量

電量過多
⚠ 容易行為暴走

缺電

充電完成

充電中
⚠ 觸摸容易導電

　　其實我們貓咪並不是天生就懂得透過太陽充電，在貓星球有個特派員訓練中心，會開一堂「充電訓練」的課程，來教導我們利用太陽充電喔！

地球的貓咪很幸運，擁有炙熱的太陽陪伴他們，所以貓主人記得平時多善用空間和時間，讓貓咪充飽太陽電能，晒得多，貓咪身體也會更有活力，暖烘烘的陽光也會讓我們心情更放鬆無慮喔！

好幸福喔！

貓咪行為小劇場

1 找到自然太陽光照射到的區域

2 確認周圍門窗緊閉

3 放置貓咪喜歡的箱子或軟墊

4 周圍放置無毒的植物盆栽

5 遠離吵雜的聲響，身心放鬆

晒太陽，真的，好舒服啊……

獨家推薦

幕後訪談

限量充電裝置

專家，我很好奇如果我們貓咪太久沒晒太陽，會發生什麼事情嗎？

如果貓咪太久沒晒太陽，容易想東想西喔！太陽能量也會越來越虛弱，容易失去我們貓咪獨有的眼睛功能喔！

什麼，原來沒有晒太陽對貓咪影響這麼大呀！

我頭上的 太陽花瓣，就是一個能更有效地吸取太陽精華的穿戴裝置喔！

哇！難怪專家的眼睛總是充飽電的閃亮狀態呢！

你來戴看看！

太陽花瓣
智能充電裝置

隨時隨地 都充滿Power!

搶先試用體驗券

出示貓咪身分照片即享免費試用一次

充滿能量！

貓咪晒太陽的好處

　　真的假的？沒想到貓咪晒太陽不但能充電，還分這麼多種姿勢啊！看完了 Kuroro 對貓咪晒太陽行為的觀察報告，接下來也看看地球人對貓咪晒太陽的行為有哪些觀察吧！

促進代謝

貓咪總給人愛睡覺、慵懶的印象，其實牠們只是不想浪費體力，但為了讓血液與代謝都正常運行，晒個太陽可算是懶貓一族最愛做的事呢！

補充維生素 D

貓跟人一樣，貓也可以藉由晒太陽來獲取維生素 D，不過貓獲得的方式很特別，皮脂會因為日晒分泌維生素 D，貓會再藉由舔毛吃進體內。

殺菌

貓咪和狗狗的身上難免會有寄生蟲或是蟎蟲等，透過日晒，可以讓毛髮乾爽，還能減少這些寄生蟲的滋生。

怕冷的貓咪？

貓咪怕冷的說法不少，但也有許多反駁的論調，不如說，貓不喜歡太冷，但未必真的怕冷，不然在沙漠地區寒冷夜晚活動的貓該怎麼辦呢？因此與其說貓咪怕冷，不如說晒太陽就是貓咪的休閒活動，就像人一樣，晒太陽，真舒服！

從姿勢看貓的狀況

要怎麼知道貓會冷？從手腳的末梢可以窺知端倪，除此之外，姿勢也能判斷，例如貓將手腳壓在身體中，蜷曲成一團，這時貓可能就是覺得冷啦，畢竟小肉掌是散熱工具，不能讓貓咪保暖啊！

我們還可以從不同貓咪的睡姿看出貓咪的心情喔。

A. 警戒臥	B. 毛球狀	C. 側躺	D. 平躺

四肢都在外面將軟綿綿的肚子保護好！	盡可能地蜷成一團，嗯……肉球！	優雅的姿勢，看起來就是想睡了吧！	肚子通通都給你，想怎麼樣就怎麼樣……
隨時能移動四肢逃跑。這個姿勢稍放鬆時，會呈現孵蛋樣子，但還是「警戒」！	這時稍微放鬆，但肚子還是藏起來，畢竟這是脆弱的地方。	你看你看，肚子跑出來了，在外面的晒太陽的喵星人多是這樣，遇到危險也有時間逃跑。	躺著，露出肚子，是貓最放鬆的狀態，貓在你面前擺出這姿勢，代表他也相信你！

貓咪祕密基地大公開

　　你是不是也很好奇，常常聽到有人在路上看到或是撿到貓咪，但是自己為什麼都沒有碰到過呢？嘿嘿，現在就把貓咪的祕密基地大公開吧！說不定下次你散步的時候，也能捕捉到幾抹美麗的倩影和鄙視的表情喔！

◎如遇緊急事故，民眾可以撥打119求救；若有動物受困受傷，臺北市動物保護處（動保處）也有「動物救援專線：02-8791-3064～5」24小時全年無休為動物服務。民眾也可撥打1999市民熱線轉接，但救援專線更迅速直接。

我們常常稱在街頭流浪的貓咪為「街貓」或是「浪浪」。當你在街頭發現牠們的身影時，除了拍下可愛的萌照外，你或許還可以願意緩下腳步，想一想、看一看，這些貓咪有沒有什麼需要協助的喔！有些事你不做沒關係，但如果願意稍加留意一下，說不定會拯救「貓生」呢！

1. 先不要接觸小貓！

請先不要觸摸小貓，不要抓貓，也不要離小貓太近！因為母貓可能只是出去覓食或其他原因剛好離開，幼貓若是沾上人類的氣味，可能會引起母貓緊張拋棄小貓。

2. 思考需要的資源？

當我們在考慮是否要救援小貓時，可以先思考盤點一下現有的資源，例如：醫療資源協助、臨時安置空間、是否有辦法飼養牠或長期送養等。

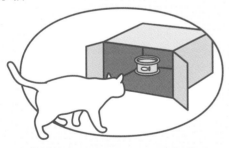

3. 提供乾淨的食物與飲水

如果確認是走丟或被遺棄的小貓，可以先提供乾淨的食物與飲水，如果是小貓會建議先提供罐頭類的溼食，因為有些小貓可能剛斷奶甚至還在喝母乳還無法吃乾飼料喔！

4. 決定救援

當我們確認小貓身體狀況不佳，母貓也沒有回來尋找，就可以決定救援。如果有堅固的外出籠或誘捕籠是救援小貓最好的選擇，如果臨時沒有的話，便利商店通常通常會有許多紙箱可以借用，能作為臨時的誘捕籠使用。

第6話
貓咪飲食類型大公開

地球特派員 Kuroro

 親愛的 Kuroro，我們家的貓咪真的好會吃啊！每天罐罐和飼料伺候不說，還要三不五時煮個鮮食加菜，但看寶貝貓咪吃得津津有味，就是療癒！

活著就是要吃！關於貓咪飲食的學問百百種，現在有請貓飲食觀察家來為我們探討「吃」這件事！

貓星專家出場

飲食觀察家

這輩子都跟食物打混在一塊，
深信「吃」的境界十分廣闊，
平時除了深研貓咪的飲食習慣，
也是貓星美食鑑定委員會主任。
大家都叫他「馬鈴薯」。

吃飽睡足
才是真諦！

喵星代號 Kuroro No.77777

 個人特殊能力

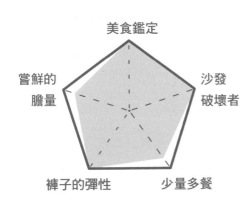

美食鑑定

嘗鮮的
膽量

沙發
破壞者

褲子的彈性

少量多餐

在為大家介紹
貓的飲食習慣前，
我先來帶大家了解一下
貓咪的味覺吧！

貓咪的味覺大公開

根據 Kuroro 地球觀察報告的紀錄，貓咪的舌頭跟人類一樣可以嘗出很多種味道唷！現在就讓地球特派員 Kuroro 和貓飲食專家來幫我們好好介紹一下吧！

貓咪究竟能嘗出幾種味道

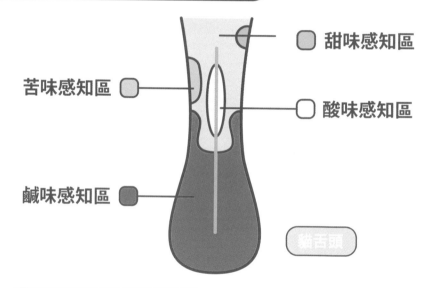

甜味感知區

苦味感知區

酸味感知區

鹹味感知區

貓舌頭

貓咪感受甜味的區塊很小，所以嘗不太出甜味呢！

好可惜喔！那專家，我們貓咪有什麼特殊的飲食習慣嗎？

好問題！經過長期的觀察研究，貓咪大致分為以下四種飲食類型！

「貓吃貨」類型大公開！

法式優雅型

平均體重 ⬜⬜⬜⬜⬜

平均食量 ⬜⬜⬜⬜⬜

平均壽命 ⬜⬜⬜⬜⬜

吃罐罐講究細嚼慢嚥。

總是會乖乖蹲在飯碗前等食物。

優雅最重要了！

吃完飯後，總會花好一段時間清理臉臉。

朕就是要吃型

平均體重 ⬜

平均食量 ▬

平均壽命 ▬

總是保持警戒狀態，
觀察四周圍
是否有食物的蹤跡。

不是該用膳了嗎？

愛霸占別人的飯碗，覺得任何食物都該自己獨享。

不許動！

大家都吃完飯了，
還在拼命地找
有沒有殘渣可以吃。

不留渣渣
國泰民安

空靈作詩型

平均體重 ⬭⬭⬭⬭⬭
平均食量 ⬭⬭⬭⬭⬭
平均壽命 ⬭⬭⬭⬭⬭

吃飯時，總是最後才湊過來

每次都勉強吃幾口，
覺得累了就不吃了。

喜歡發呆勝過吃飯

對吃看得
很開啊！

異食怪客型

平均體重 ▭

平均食量 ▭

平均壽命　未知

常常連包裝都會一起吃了下去。

深信塑膠袋、內褲、
襪子都是美味的食物。

不過吃完美食通常會⋯⋯

幕後訪談

異食派的夥伴們實在太酷了！

異食派可是貓界裡數一數二的食物玩家！他們
會舉辦年度異食派必吃美食票選活動！提供給
不敢嘗試新口味的貓咪，做為參考！

哇嗚！我……我還是吃罐罐就好（嚇）！

你真的不來試試看？說不定可以開發你未曾
發掘關於飲食可能性的多重宇宙喔！

第七屆貓界年度
★ 必吃美食 ★

1 菇菇塑膠雜燴雞
初心者適用！
保守派必吃！

2 橡皮筋義大利麵
多重層次的絕頂美食！

3 乾燥沐浴球
給心情煩躁的你
提供絕佳口感

這這這……
我不行！

⚠ 警示：異食派貓咪皆受過專業訓練，請各位貓咪不要輕易嘗試

貓知識認真說
貓咪應該怎麼吃？

　　真的假的？貓咪嘗不太出甜味？看完了地球特派員 Kuroro 的報告，有沒有也對貓咪的飲食感到好奇呢？現在就來看看地球人又觀察到了什麼吧！

　　貓咪的飲食模式很多元，一些專門研究動物行為的學者更指出，動物吃相、飲食的態度，多少會受到飼主的影響，當然貓咪也不例外，現在就來看看貓咪有哪些飲食行為吧！

看起來好好吃啊！

為了食物而當戰

有些人認為貓的吃相不好，有一個原因就是「護食」，貓會為了保護自己的食物，而狼吞虎嚥。特別是對曾經流浪在外的貓來說，食物就像生命一樣重要。

這是我的！

好餓，好餓，我都瘦1克了！

因為餓而狼吞虎嚥

造成貓呲牙咧嘴的吃相還有一個原因，就是肚子餓！隨著貓咪的成長，食量也會改變，除了保持定時定量的飲食習慣很重要喔！

吃相不好是不得已

有些貓會把食物從碗中「弄」出來，再吃進去，就會掉得滿地都是，看起來又髒又亂的原因。可能是放食物的碗太深，讓貓敏感的鬍鬚感到不自在，選擇把食物弄出再好好享用。

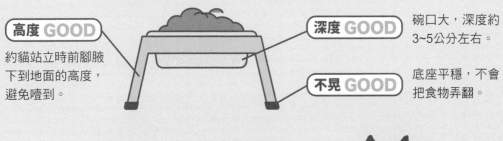

高度 GOOD
約貓站立時前腳腋下到地面的高度，避免噎到。

深度 GOOD

碗口大，深度約 3~5公分左右。

不晃 GOOD

底座平穩，不會把食物弄翻。

還是有優雅的貓咪

不是每隻貓都狼吞虎嚥，還是有貓有著優雅的態度，細嚼慢嚥，就定位好好吃飯，好好品嘗這份大餐。

貓咪為何會偷吃盆栽？

　　家中調皮搗蛋的貓，是不是總是喜歡向盆栽下手，不是將花盆打碎，就是將盆栽啃得亂七八糟？其實貓咪雖然是肉食性動物，但牠們有時也喜歡補充一點植物，以促進消化，不但有助於排出肚子裡的寄生蟲或毛球，還能幫助腸胃充分吸收營養。

　　不過，並不是所有的植物都適合貓咪食用，因此在養貓前一定要先確認家中的盆栽和植物對貓咪是否有害。也可以試著準備像小麥草之類的「貓草」植物，來增進貓咪的健康和活力唷！

我要吃！快點給我！

第7話

貓咪也有功夫流派？

地球特派員 Kuroro

親愛的 Kuroro，我家裡的貓兄和貓弟三不五時就會上演互毆戲碼？這樣是正常的嗎？需要送去訓貓學校學乖乖嗎？

我們貓咪之間打架很正常，但你曉得貓咪界其實也有功夫達貓喔！話不多說，就讓貓界武林宗師來跟大家好好過招！

貓星專家出場

個人檔案 PROFILE

貓界武林大師

以臉上兩條疤痕、
快狠準的扇子舞攻擊爲名，
又有「貓界雙疤流」之稱；
據說當他揮揮扇子，就可將敵人擊倒，
手上總拿著神祕的拐杖。

喵星代號 Kuroro No.00055

各位貓奴們好！

個人特殊能力

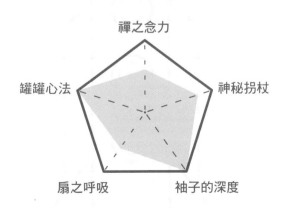

禪之念力

神秘拐杖

罐罐心法

扇之呼吸

袖子的深度

貓咪的功夫是非常
深奧的喔！信手捻來就有
二十多個武功流派，今天就
爲各位簡單介紹分布最廣的
四大貓武功學派……

貓功夫的祕密大公開

根據 Kuroro 地球觀察報告記載，貓咪之間只要有空就會互相切磋切磋武藝，不知道的人還以為我們是在打架，真相其實是……嘿嘿！就讓貓界武林大師來說分明吧！

貓界四大武功學派

貓貓拳派

力氣	
攻防速度	
整體效果	
上手難度	

貓貓拳派是貓界擁有最多貓咪的派系，對於貓咪來說很容易上手。靠著強而有力的「貓貓拳」，近身肉搏舉世聞名！但平常需鍛鍊體質，才能將貓貓拳發揮到極致！

天不怕地不怕護腕

可以抵擋一切太軟、
太硬的攻擊

超大貓掌拳套

將攻擊的面積加大，
並減少失手的機會

格鬥緊身衣

全身包緊緊，
避免露出任何破綻

貓貓拳派必殺技

貓拳波擊

我曾經為了練就貓拳波擊的最高境界，忍住三天
不大吃大喝，結果還是失敗了！（殘念）

對於天性貪吃的我們，的確
很少有貓能熬過去啊！

貓忍派

力氣	
攻防速度	
整體效果	
上手難度	

貓忍派以快速度攻擊成名，靠著身型嬌小的優勢，穿著無聲無息的忍者衣，在障礙物中穿梭，他們最懂利用時機，用「貓爪」擊潰對手！屬於貓武功派系第二大流派！

常配戴武器一覽

貓快手裏劍

咻咻咻的發射，
遠距離攻擊好物

罐罐召喚捲軸

最後關頭使用的
終極武器

無聲忍者衣

來無影、去無蹤必備

貓忍派必殺技

據說大師您臉上的兩條疤痕，
跟這個有關呢⋯⋯

對的！當初我還在學武時，與一名貓忍派的
傢伙互相過招，戰鬥後所留下來的痕跡呢！
不過對方抓得算有藝術感，還行～

幻貓派

力氣	████████████████████
攻防速度	█
整體效果	██████████████
上手難度	████████████

幻貓派入門門檻較高，需非常勤奮的打理外表，讓自己保持無人能敵的可愛力，並透過可愛外表，擄獲對手的芳心，藉此來擊潰對手！

貓美瞳放大片

閃閃惹人愛，
敵人看了必投降！

無敵做作蝴蝶綁帶

裝可愛、扮可憐必備

美聲鈴鐺

只要一戴上，喵嗚喵嗚
的叫聲讓人昏眩

必殺技

人類最常中幻貓派的計！真的很要不得呀！

幻貓派能快速的吸引所有物
種的目光，使人神魂顛倒！

猛毒派

力氣	
攻防速度	
整體效果	
上手難度	

猛毒派為「地球貓」特有流派，他們平常受貓奴所侍奉，透過吃罐罐不刷牙，讓嘴巴產生致命氣體，醞釀許久後，透過哈欠一口釋放！

感覺非常適合我！哈哈哈

果然！現在的年輕貓都想一勞永逸呀！

貼心提醒：請各位貓奴務必注意！貓咪的口臭問題可能攸關星球存亡，請務必留意貓咪口腔清潔！

貓咪展現武功的時機大約分以下幾種：

貓展現功夫的時機

時機 1 地盤爭奪

時機 2 比武過招

時機 3 防身

時機 4 爭寵

非常感謝宗師的介紹！貓咪真是不論何時何地都在展現功夫啊！不知道宗師您收弟子嗎？有機會我再跟您多請教幾招！

幕後訪談

 宗師，請問你還有在收徒弟嗎？

當然有！秉持著優秀的學武精神
來找我，我都會很樂意分享的！

 哇～所以像我這種懶惰鬼，也有機會
練一身厲害的喵喵功夫拳嗎？

Kuroro～習武可不是一時半刻就能看
見成效！我最近正好有推出武功體驗
營，你就來體驗看看吧！

是的！宗師！

喵星武林宗師
武功體驗營

報名專線：7Y56－093－RE

報名分級制：初級／中級

售價：

太嫩了……

我的腰……

貓知識認真說
貓咪嘴裡的世界

從地球特派員 Kuroro 的觀察報告中，我們看到貓咪不刷牙的話會變成很可怕的攻擊「毒氣」。其實對貓來說口腔是很重要的部位，一旦出了狀況，不僅吃不下還會睡不好。現在就來看看地球人對貓咪口腔的研究吧！

貓咪牙齒的構造

貓的恆齒有30顆，分別是門齒、犬齒、前後臼齒，各有不同功能。為什麼貓會有「犬齒」？其實犬齒只是個名稱，許多哺乳類動物都有，因為這位置的牙齒在犬科上特別發達而聞名，是個獵食的好武器呢！

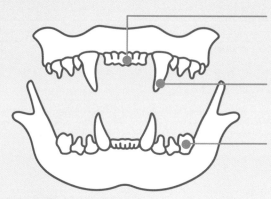

門牙：一共12顆，維持服裝儀容整潔用。

犬齒：下上各2顆，這是厲害的武器，撕裂食物。

前後臼齒：一共14顆，研磨靠這裡。

貓咪的口腔疾病

貓的牙齒尖尖的，又有大間距，不容易堆積食物，且口水呈弱鹼性，蛀牙細菌不容易發生，但是沾黏在牙齒上的細菌，如果不清潔，久了成了牙垢，累積更多變成牙結石，就會產生牙周病等問題。有時候會產生一種稱為「牙齒吸收症」的疾病，類似蛀牙牙齒被腐蝕的狀況。

食物殘渣　　　　　細菌

怪異氣味要注意

當家裡的貓咪出現難聞氣體，除了可能是口腔發生問題，也有可能是消化不良或是體內疾病，如肝臟病、糖尿病、腎臟病等，聞到貓咪有怪異氣味時，需要有警覺，最好能帶去給醫生檢查。

口炎好難受，清潔保健康

貓口炎是指貓咪口腔受到病毒或細菌感染，可以說是嘴巴內整個有問題的狀況，不止牙齒、牙齦會有問題，口腔內粘膜會出現潰爛。為了避免家裡的愛貓罹患口炎，記得要經常幫牠們清潔口腔喔！

貓的牙齒不見了

　　貓咪換牙時常常會把乳牙吞下肚子，如果在地上撿到貓掉落的牙齒，是十分少見的事情，真是好運呢！

　　不過，要是你發現貓的牙齒沒有掉落可是就是看不見了，那應該是得到了「貓齒吸收症」，這種病會在牙齒表面出現粉色的肉芽組織，慢慢增生包裹牙齒，並破壞牙齒結構，導致牙齒慢慢消失喔！

牙齒不見了，該不會生病了吧……

我撿到貓牙齒，一定會有好運氣！

第8話
擋不住的紙箱魔力

地球特派員 Kuroro

 親愛的 Kuroro，你知道為什麼貓咪那麼喜歡鑽紙箱嗎？
每次看到牠們那種發自內心對紙箱的喜愛，我就覺得好
可愛啊！

紙箱對貓咪而言，究竟有什麼無法抗拒的魔力呢？有請來
超酷的專家——貓星紙箱研究員，來為大家解惑喔！

貓星專家出場

紙箱大小事，
就交給我貓星紙箱
工廠的研究員！

貓星紙箱研究員

長年在貓星紙箱工廠做研發，
是一位認真又傑出的研究員。
身上永遠穿戴新研發的紙箱裝備，
因此沒人看過他真實樣貌。

喵星代號 Kuroro No.09981

 個人特殊能力

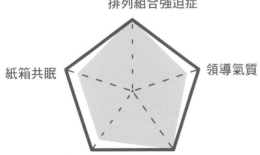

排列組合強迫症

紙箱共眠

領導氣質

紙質辨認之眼

宅配集團地下顧問

你問紙箱的意義
對我是什麼？我想與其
說是裝備更像是我的第二
層肌膚～帥吧！

貓與紙箱關係大公開！

根據 Kuroro 地球報告記載，不管大的、小的、形狀不規則的……只要是紙箱，家裡的貓咪都會迫不及待的撲上去！想知道為何紙箱對貓咪有這麼大的吸引力嗎？就來看看地球特派員的精采調查吧！

🐾 貓星特製紙箱的構造

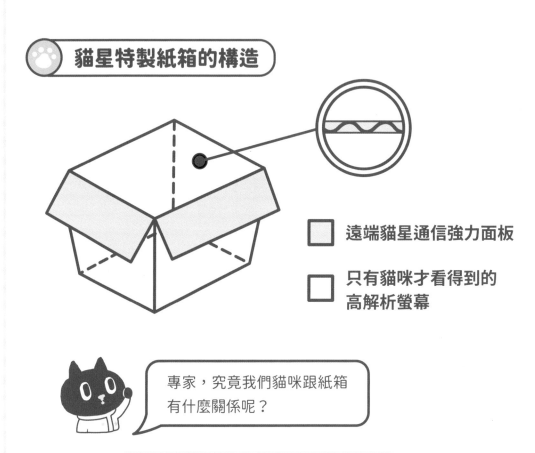

■ 遠端貓星通信強力面板

□ 只有貓咪才看得到的高解析螢幕

專家，究竟我們貓咪跟紙箱有什麼關係呢？

身為在地球探查情報的我們，都是透過「貓星特製的紙箱」來跟貓星球回報訊息的喔！

貓星特製紙箱，夾層內藏有滿滿的「波浪型結構」
能有效的將我們的畫面跟對話傳送至宇宙！
簡單來說，它具備人類手機的視訊功能！

而貓咪進行紙箱通訊的步驟很簡單！

貓咪進行紙箱通訊的步驟

STEP1 趁沒有人注意自己的時候

STEP2 快速進入紙箱內

STEP3 進入紙箱後使用貓咪夜視鏡與螢幕同步

註：貓咪夜視鏡相關內容收錄於《Kuroro 不可思議的貓科學》第1話

專家，紙箱除了用來與貓星球通訊，我還常常拿來睡覺……

紙箱的確是個偉大的發明，讓我們愛不釋手呢！接下來要為大家介紹貓咪喜歡紙箱的其他理由！

貓咪熱愛紙箱的其他原因

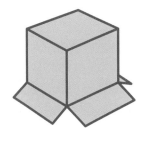

移動的工具

這就是貓星的主要交通工具「紙箱飛船」

睡覺的地方

小小的紙箱，睡起來特別有安全感！

藏匿的地方

只要有紙箱，貓咪就能隨時隱藏自己

 貓星特製紙箱從何而來

專家，我使用紙箱通訊很久了，但我好奇的是究竟這些紙箱是從哪裡來呀？

我們靠「紙箱空投」來發送紙箱到各星球！

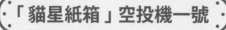
「貓星紙箱」空投機一號

貓星紙箱空投機一號，可以一次把上百個貓星特製紙箱，準確的投遞給貓咪們。

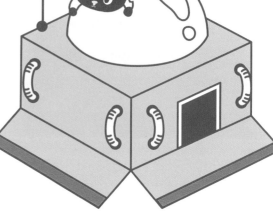

專家你的工作，太酷了！

我們就是專門負責為大家進行「紙箱空投」的工作，協助每隻貓咪能隨時與貓星球聯繫！

發射！

專家，投下「貓星特製紙箱」到地球，難道人類都不會察覺嗎？

所以我們會為這些紙箱進行「偽裝加工」呀！

「貓星特製紙箱」的偽裝

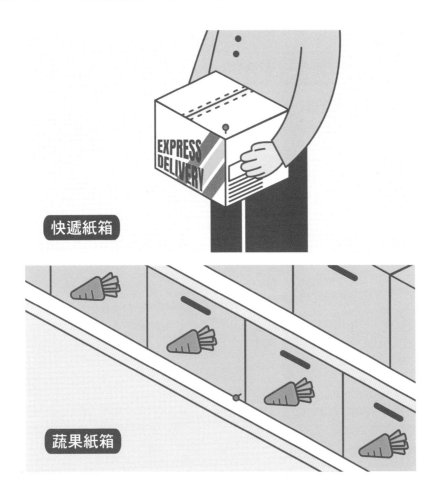

快遞紙箱

蔬果紙箱

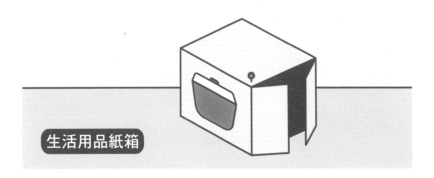

生活用品紙箱

哇！仿造的這麼像，是怎麼辦到的啊？

因為我們擁有一個「地球公司行號紙箱資料庫」要仿造，可是非常容易呢！

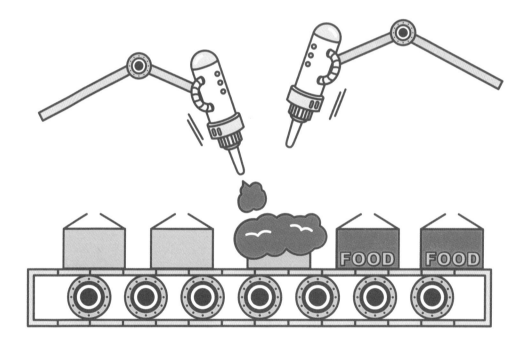

太專業了！有機會我要去「貓星紙箱工廠」參觀參觀！

(022) 2222123

獨家推薦

幕後訪談

TV

酷喵喵必備品

專家，你的紙箱頭套好帥喔！

Kuroro 你很識貨喔！這是我們貓星紙箱工廠的最新研發的「智能娛樂貓紙箱頭套」，隨時隨地想玩遊戲、看電視、通訊都可以！

專家，我想玩！我想玩！

好啊！現在就撥打試用專線預定一個吧！

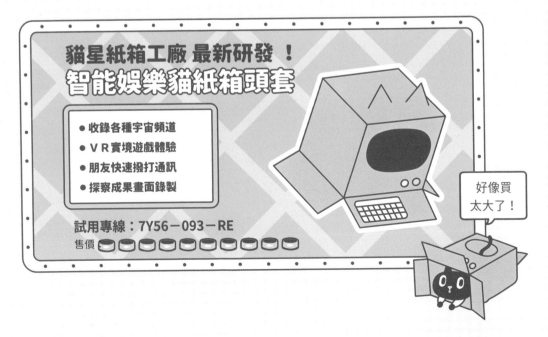

貓星紙箱工廠 最新研發！
智能娛樂貓紙箱頭套

● 收錄各種宇宙頻道
● VR實境遊戲體驗
● 朋友快速撥打通訊
● 探察成果畫面錄製

試用專線：7Y56－093－RE
售價

好像買太大了！

貓咪鑽紙箱的原因

真的假的？沒想到紙箱和貓咪的關係這麼緊密！看完了 Kuroro 對貓咪和紙箱關係的觀察報告，接下來就來看看地球人觀察到了什麼吧！

我想訂購紙箱，每個禮拜都幫我送一個。

貓咪總喜歡把自己擠到箱子裡？除了好奇並磨練自己的貓爪功，沒有完全密封的紙箱，對貓咪來說就像另外一個宇宙，勾起貓咪滿滿的好奇心。至於貓咪專鑽紙箱的原因，大概有下列幾個：

逃避問題

動物行為專家認為，貓咪是種不會解決問題的動物，遇到壓力與問題時只會逃避，而狹窄的空間或是有紙箱的地方，就是牠逃避問題的地方。

看不見我！

釋放壓力

曾有國外的學者特別對比實驗，發現有紙盒躲藏的貓，因為釋放了壓力，較願意和人親近，也比較不會那麼緊張·換句話說，躲進紙箱或狹小空間，能給貓一個安全的感覺，起碼他可以專注眼前不必全身警戒。

保暖或隔熱

對貓來說，狹小的地方除了安全考量，還能調節溫度。冬天時，當貓咪蜷曲成一團躲入瓦愣紙箱內就能保暖。在炎熱的地方，紙箱又成了頗有功效的隔熱用品，冬暖又夏涼，貓咪怎麼會放過？

狩獵本能

躲藏起來，讓獵物失去戒心，就能瞬間給予致命的一擊不過要小心，如果大多時候可愛的貓，卻突然躲起來就要特別留意牠們突如其來的暴衝。

咦！背後怎麼涼涼的？

第9話
塑膠袋是貓咪世界的蟲洞？

地球特派員 Kuroro

 親愛的 Kuroro，我家裡的小嬰兒和小貓都好喜歡玩塑膠袋啊！這是為什麼呢？塑膠袋的魅力難道比我大？

你永遠猜不到，家裡的貓咪會出現在哪個塑膠袋裡吧！究竟是為什麼呢？這次我邀請到貓界大姊頭——咻咻姊（異物質穿梭科學家）來為我們解密！

貓星專家出場

異物質穿梭科學家

堪稱貓界閱歷最豐富的大姊頭，
大家都稱她咻咻姊，
咻咻姊擁有許多崇拜者。
每年固定舉辦的「咻咻姊的穿梭傳奇」特展，
時常成為貓星快報的頭條焦點呢！

罐罐配紅酒，
最棒了！

喵星代號 Kuroro No.09911

 個人特殊能力

你以為我在這裡，
但我從來不在這裡；你以
為我去那裡，但我早就已經
在那裡！（玄吧！）

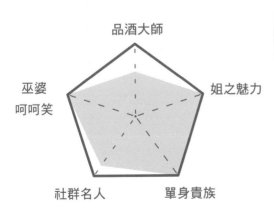

品酒大師

姐之魅力

巫婆
呵呵笑

社群名人

單身貴族

貓咪的時空穿梭蟲洞

根據 Kuroro 地球觀察報告，人類對於貓咪對塑膠袋的執著一直無法理解。到底為什麼貓咪這麼喜歡玩並且鑽進塑膠袋裡面呢？就讓閱歷最豐富的咻咻姊——異物質穿梭科學家來為我們解密吧！

貓咪如何透過塑膠袋進行空間穿梭？

專家，人類一直很好奇我們貓咪為何喜歡鑽進塑膠袋裡頭呢？

塑膠袋，可是我們貓咪進行瞬間移動的時空穿梭蟲洞呢！

時空蟲洞開啟中～～～～

當貓咪身體的毛髮與塑膠袋互相摩擦時，能產出強力靜電，這股神祕力量能連接所有地球時空中的塑膠袋，並開啟通道，貓咪們就能將自己傳送至另一個空間。

★ 一旦塑膠袋發出沙沙聲響，就表示時空穿梭洞已打開！

沙沙～沙沙～
是穿梭洞！

進入塑膠袋準備傳送！

成功傳送到另一個空間的塑膠袋！

這可是身為貓咪都會的技能呢！

塑膠袋傳送功能的好處還有很多，
讓我們來告訴大家！

貓咪使用塑膠袋時空穿梭蟲洞的時機

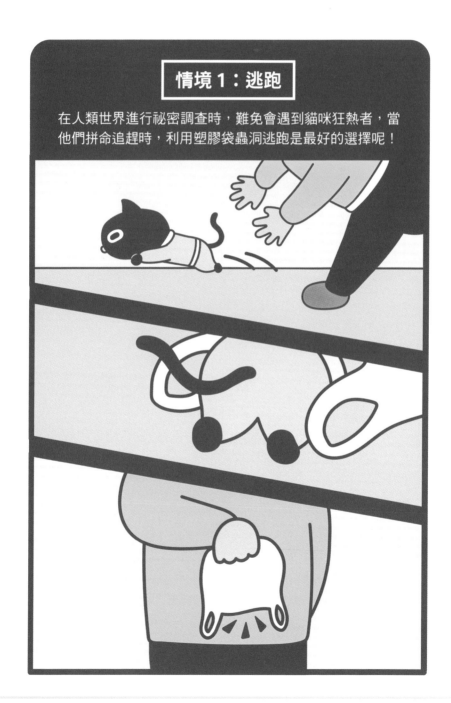

貓咪的穿梭行動都是有練過的喔！平常不可以亂學！

情境 2：祕密探查

塑膠袋時空穿梭蟲洞快速便利的優點，讓我們能自由的穿梭世界各個角落！大大提升我們蒐集情報的效率！

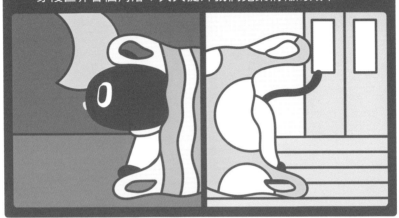

情境 3：雜耍演出

有些貓咪會拿來進行雜耍表演，通常能把小動物嚇得目瞪口呆的呢！

關於塑膠袋時空穿梭蟲洞傳送距離

小型塑膠袋

傳送距離：1km

中型塑膠袋

傳送距離：10km

大型塑膠袋

傳送距離：1000km

Kuroro，那你都在什麼時機下使用
塑膠袋時空穿梭蟲洞呢？

這個不好說……嘻嘻～

魚魚GET！

唉喲！很有前途！不錯！

獨家推薦

幕後訪談

🐾 多款花色任選

說到這，你有沒有想過像我一樣環遊世界呀！

當然想！咻咻姊，我希望～我能吃遍
全宇宙的貓罐頭！

太好了！送你一件我最近聯名推出的環遊世界
時空洋裝，希望你夢想成真喔，Kuroro 加油！

哇！謝謝咻咻姊！我會好好珍惜這個禮物的！

好乖好乖～呵呵～

咻咻姊
獨家推薦！

環遊世界
時空洋裝

穿上這件，帶你遊歷全宇宙世界！

尺寸可依照不同貓咪體型特別訂製

訂製專線：7Y56－093－RE

售價：

哇喔！
涼涼的～

貓知識認真說
貓咪喜歡塑膠袋原因

貓咪們超愛塑膠袋，經常又是舔、又是咬、又是鑽、又是撲，到底塑膠袋有什麼吸引力？看完了 Kuroro 對貓咪愛鑽塑膠袋的行為觀察報告，接下來就來看看地球人的研究心得吧！

> 塑膠袋最棒！

味道好香

平常我們用塑膠袋包裝食物，這些食物的味道對於嗅覺特靈敏的貓咪，可是有無窮的吸引力。另外，有的塑膠袋在製作上會添加玉米澱粉，與貓飼料裡的成分相同，感覺塑膠袋聞起來就有莫名的熟悉感。

聲音好響

塑膠袋因為材質的關係，碰觸就會沙沙作響，對於聽覺靈敏的貓咪來講好像在說：「來玩！來玩！」而且，發出聲音還可以引起主人的注意，這也是貓咪特別喜歡塑膠袋的原因喔！

玩法好多

塑膠袋輕飄飄的，表面光滑又柔軟，聲音響又有吸引人的味道，貓咪除了舔、咬之外，還會磨蹭、踩踏，有時候還可以當作小獵物，狠狠地撲過去抓住它！

空間好棒

塑膠袋裡是個封閉的空間，這根本就是喜歡密閉小空間的貓咪最愛，飼主一定要特別留意，免得貓咪不小心被塑膠袋勒到脖子。

好玩不能吃下肚喔！

　　塑膠袋雖然看起來非常有吸引力，但畢竟成分還是塑膠，還是不能讓貓咪吃下肚。如果看到貓咪在撕咬塑膠袋的時候，一定要及時制止並收起來。也要注意貓咪是不是有消化道的毛病，或是壓力過大，盡早看醫生，及早治療唷！

你也是吃了塑膠袋來看醫生嗎？

第10話
貓咪從什麼時候開始跟人類相處的？

地球特派員 Kuroro

親愛的 Kuroro，我好好奇喔！到底貓咪是什麼時候大舉入侵人類的生活的呢？

嘿嘿！想知道我們貓咪究竟從什麼時候開始與地球人相處，就要請貓歷史研究家出場囉！

貓星專家出場

貓歷史問我就對了！

 個人檔案 PROFILE

貓歷史研究家

身為第8代的貓歷史傳承人，
每天研讀近30份的貓星研究報告！
從小就立志將貓歷史用最可愛
的方式宣揚至全宇宙！

喵星代號 Kuroro No.00889

 個人特殊能力

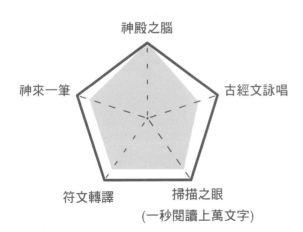

神殿之腦

神來一筆

古經文詠唱

符文轉譯

掃描之眼
(一秒閱讀上萬文字)

有任何想要了解
貓歷史大小事都可以
問我，我一定知無不言，
言無不盡！

貓與地球人一起生活的起源

根據 Kuroro 的地球觀察報告，我們知道貓咪和人類的淵源開始於很早很早以前，但到底有多早？又是怎麼開始的呢？就請貓歷史研究家來幫我們好好說明一下吧！

專家，究竟我們貓咪是從何時開始與地球人相處的呢？

其實人類出現之前！
我們貓咪就已經來過地球了！

 關於貓咪來到地球的傳說……

很久很久以前，有一位居住在NGC6543星球的黑貓前輩，無意間漂流到剛誕生的地球附近……

豐富美妙的地球吸引許多黑貓專家逗留。黑貓因此經歷不少地球的輝煌時代！

但不幸……遇到地球的大冰河時代，貓咪祖先們非常怕冷，決定返回貓星居住！

專家，那個時候還沒有地球人嗎？

沒錯！貓咪與人共處的真正時間大約開始於40000年前。當時地球已經出現了過去我們並不熟悉的生物──人類。

人貓情緣的由來

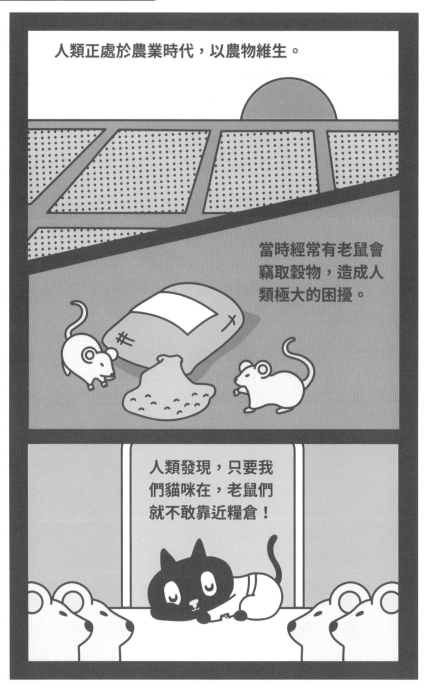

喵嗚！人類都得靠我們維生耶！

沒錯！人類甚至幫我們畫了壁畫、並打造了許多帥氣的雕像！

當時，雖然人類無法與我們貓咪溝通，但我們的貓祖先還是將貓星語留了下來！只可惜，沒有多少人類看得懂！

你看得懂我們的貓星語嗎？

幕後訪談

哇！專家能請你教教我們認識簡單的貓星語嗎？

好呀！常見的貓星語，其實貓咪在抓東西時，就經常留下許多足跡呢，大家以後可以多嘗試看看，自己是否能辨認得出～

專家，如果人類想學習更多貓星語，該怎麼做呢？

歡迎大家參觀《貓歷史故事展》，現場會有專業引導人員帶大家認識更多貓星語以及有趣歷史故事！近期我也正在撰寫貓星語詞典，敬請期待！

貓歷史故事展

| 我在這 | 謝謝你 | 這裡好舒服 | 這裡有食物 | 注意這邊／看這邊 |
| 好幸福／我愛你 | 想要摸摸 | 不開心 | 喜歡你 | |

更多有趣歷史等你來參觀！

限時免費入場

實在太酷了！各位人類都學會了嗎？

貓知識認真說
貓咪跟人的互動行為

　　真的假的？貓在地球出現的時間比人類還早？看完了地球特派員 Kuroro 的報告，我們來聽聽人類又是怎麼說的吧！

　　從很多研究和考古跡證來看，貓進入人類世界由來已久，在世界各處都有紀錄可考，在行為上究竟是貓習慣人了？還是人被貓給改變了呢？

> 我就勉為其難陪你們躺一下吧！

有人就有貓

如同前面篇章曾提過，人類文明史上曾有兩次貓咪被馴養的紀錄，一次約在 9000 年前的近東地區；一次約在 3600 年前的埃及。根據推測，貓的馴化應該和人類發展農業，有極大的關聯。

都是因為人啦

野生動物的貓須狩獵謀生，躲避敵人。隨著被馴化，貓咪也逐漸走入人類的生活，與人親近，甚至變為寵物，擁有許多「貓奴」伺候！

貓咪的依附行為

有人認為「依附理論」是人類認識世界的起點，幼時我們會依附照顧者，並在和照顧者的相處和互動中，學習與了解這個世界。有學者研究，貓有這樣的依附模式，藉由照顧者的反應與行為，認識這個世界。所以貓的個性，有時候也會跟主人一樣。

養貓減煩惱

日本作家村上春樹曾在被採訪中提到：「大部分的煩惱，只要養貓就好。」之所以會有這樣的說法，主要是因為，大多人的煩惱都是由於人際關係的應對所引起，但是對於養貓的人來說，只要看到貓咪吃飯、喝水、吃罐頭等日常生活就夠療癒啦！

其實只要吃飽睡、睡飽吃就對了！

讀懂貓咪的行為

雖然貓咪心海底針，但其實在幾千年和人的相處中，慢慢也有了一些常態的心情模式，了解一下讓你跟貓咪相處更融洽。

 心情好

身體放鬆，
發出咕嚕療癒聲。

露出肚子，
信任你。

都能讓你抱了，
還不開心嗎？

 警戒
心情糟

耳朵豎起，
瞪大眼睛。

張大嘴，發出
凶狠嘶嘶聲。

弓起背部。

死心塌地貓奴大測驗

貓咪萬萬歲，你有沒有想過，自己是不是一個合格的貓奴呢？快來檢測一下，下面的事情也是你的生活寫照嗎？快來數一數，看看你符合狀況有幾個呢？一旦符合，每個狀況算一分，一起來看看你的貓奴指數共獲得多少分吧！

常常有事沒事就會學貓叫。

走進家門的第一句話，99%是喊貓咪的名字。

身上一定有貓咪的毛，而且還不少！

經過寵物店一定會進去買貓咪的東西。

手機裡有一半是貓咪的照片。

家中一定有紙箱（有抓痕的）。

貓咪一叫，不管在做什麼一定隨傳隨到。

讓貓咪和自己一起同床共枕睡床上。

常常三不五時就會和貓咪對話、聊天。

再吵都能聽到貓的叫聲。

鍵盤被霸占也是笑笑啦！

家裡有很多伺候貓咪的道具。

跟貓咪有關的文章一定看。

會用家人的稱謂來稱呼貓咪，如弟弟、妹妹等。

雙腳被趴到麻掉也不會移動。

貓咪清潔生活環境比自己的還勤勞。

朋友一說到貓就會提到你。

上廁所跟洗澡，不能拒絕貓咪觀賞。

每天都會記得觀察，貓咪的進食和排泄狀況。

堅信貓咪全身都是香的。

跪安吧！貓奴！

分數	等級
>15	**你就是死心塌地的貓奴！** 貓咪就是你生命的全部，你願奉獻你的金錢、時間與滿滿的愛。
11-15	**你很有當奴才的潛力呢！** 貓咪大約占走你生活的一半，一天沒有看到貓咪就覺得生活不對勁。
6-10	**你真的很喜歡貓喔！** 你很喜歡貓，覺得貓咪能讓你感到放鬆、療癒與幸福感。
1-5	**你是個喜歡小動物的人！** 你很喜歡貓，覺得貓咪能讓你感到放鬆、療癒與幸福感。
0	**別鬧了，你只是路過吧！** 不只貓，應該毛茸茸的小動物你都喜歡。

不可思議的貓科學，節目來到尾聲。

今天的節目大家看得還開心嗎？有沒有更加了解貓咪，以及那些奇妙的行為和習慣了呢？

希望透過「 Kuroro 地球觀察報告」系列，能讓大家更知道貓咪的可愛之處。當然，別忘了持續支持宇宙喵 Kuroro 和「貓科學部」的貓專家們，一起發掘更多喵星人和地球人的精采瞬間吧！

再次感謝以下專家參與本節目！
期待不久的將來我們能再見喔！

貓星紙箱研究員

Kuroro 09981號

抓爛的紙箱不要丟！
我們可都把祕密心事
寫在上頭呢！

鬼鬼崇崇專家

Kuroro 00022號

我很怪，但我欣賞我的模樣。
記得，也要好好喜歡你自己喔！

貓廁所觀察家

Kuroro 00888號

人類啊！便便要通暢
才能活得長命百歲喔！

異物質穿梭專家

Kuroro 09911號

遨遊世界不是夢，
自由就在你心中。
來～敬我們的友誼一杯！

我是為了研究才胖的
你可要多注意身材喔！

心煩意亂的時候
就來找我踏踏吧！

貓界武林大師

Kuroro 00055號

追求武功高強外，
品德修心更重要喔！

貓歷史研究家

Kuroro 00889號

神話可是埋藏著宇宙的祕密
我們的故事，未完待續。

貓充電專家

Kuroro 08880號

躺平晒太陽最舒服了
躺下跟我一起
充充電吧！

貓水質科學家

Kuroro 09900號

毛髮～保持香香
若你買到好的洗髮水
記得向我推薦喔！

貓科学部

KURORO SCIENCE LAB®

◉◉ 知識讀本館

Kuroro 地球觀察報告2

真的假的？不可思議的貓行為
喵星人古怪舉止大解密

文・圖｜Kuroro 地球總部

審定｜林士傑獸醫師（小林先生×東洋獸醫科版主）

責任編輯｜詹嬿馨　美術設計｜李潔　行銷企劃｜王予農

天下雜誌群創辦人｜殷允芃

董事長兼執行長｜何琦瑜

媒體暨產品事業群

總經理｜游玉雪

副總經理｜林彥傑

總編輯｜林欣靜

行銷總監｜林育菁

版權主任｜何晨瑋、黃微真

出版者｜親子天下股份有限公司

地址｜台北市104建國北路一段96號4樓

電話｜（02）2509-2800　傳真｜（02）2509-2462

網址｜www.parenting.com.tw

讀者服務專線｜（02）2662-0332　週一～週五：09:00~17:30

傳真｜（02）2662-6048　客服信箱｜parenting@cw.com.tw

法律顧問｜台英國際商務法律事務所・羅明通律師

製版印刷｜中原造像股份有限公司

總經銷｜大和圖書有限公司　電話：（02）8990-2588

出版日期｜2023年8月第一版第一次印行

定價｜340元

書號｜BKKKC250P

ISBN｜978-626-305-540-7（平裝）

訂購服務───────────────

親子天下Shopping｜shopping.parenting.com.tw

海外・大量訂購｜parenting@cw.com.tw

書香花園｜台北市建國北路二段6巷11號　電話｜（02）2506-1635

劃撥帳號｜50331356　親子天下股份有限公司

國家圖書館出版品預行編目資料

真的假的？不可思議的貓行為 / Kuroro 地球總
部 文・圖;-- 第一版.-- 臺北市：親子天下股份
有限公司; 2023.08; 136面; 17 x 23公分公分.
-- (Kuroro 地球觀察報告 2)
ISBN 978-626-305-540-7(平裝)

1.CST: 貓 2.CST: 動物飼養 3.CST: 動物行為

437.364　　　　　　　　112010852

立即購買 >

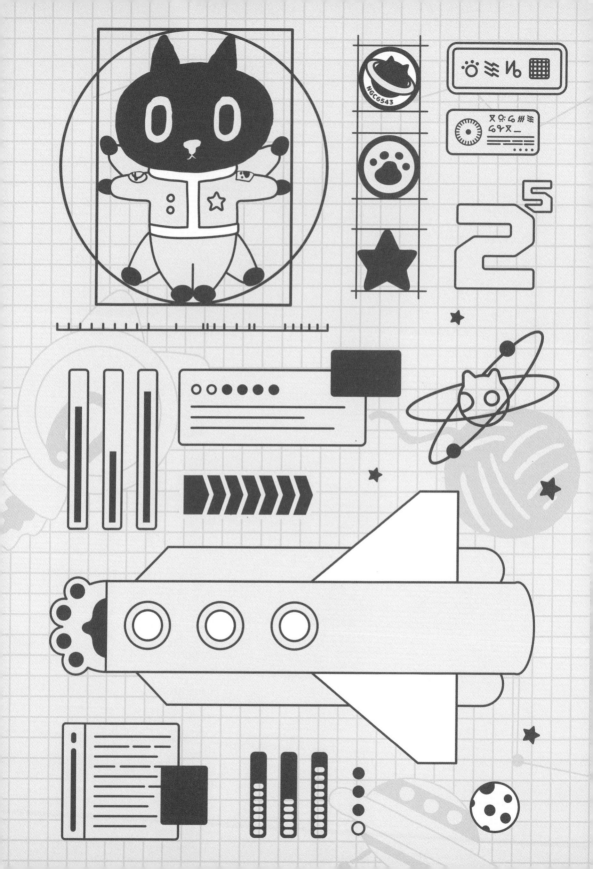